CE1

Le pl
dét   ve
du monde

de Moka
illustré par Jean-François Martin

MiLAN

Chapitre 1

Le plus grand détective du monde, c'est moi, Gilou Serin.

Rien que la semaine dernière, j'ai résolu deux affaires. D'abord, j'ai retrouvé mes rollers qui étaient dans la cave. Simple petit travail de déduction. Je m'en étais servi le dimanche précédent et il pleuvait ce jour-là. J'avais bien le souvenir de les avoir laissés dans l'entrée. En revenant de l'école, le lundi suivant, ils avaient disparu.

Or, ma mère avait fait le ménage le matin, comme à l'accoutumée. Elle ne les avait pas remis dans mon placard. Ils étaient pleins de boue à cause de la pluie. Il ne me restait plus qu'à obtenir les aveux de la suspecte. Maman les avait mis dans la cave. Elle m'avoua également qu'elle en avait plus qu'assez de ramasser tout ce que je laissais traîner.

Ma deuxième affaire était plus compliquée. Ma voisine de classe, Émilie, avait perdu sa boucle d'oreille droite. Un vrai drame.

Ses anneaux en or lui avaient été offerts par sa tante. Je ne disposais que d'un seul indice : Émilie était sûre qu'elle avait les deux en partant pour l'école. Pendant la récré, j'ai refait avec elle tout son parcours de la matinée.

Arrivée à la grille.

Cour de récréation.

Couloir. C'est là que j'ai eu une illumination de génie. Devant les portemanteaux. Émilie portait une écharpe en tricot autour du cou. En enlevant l'écharpe, elle avait accroché la boucle sans s'en apercevoir. Par chance, elle y était toujours. Ça m'a rapporté deux chewing-gums et un bisou. J'aurais préféré éviter… Tous les garçons se sont moqués de moi après. J'ai eu droit à «Gilou et Émilie sont amoureux» pendant tout le restant de la semaine.

Chapitre 2

Mais, ce samedi, les clients ne se bousculent pas au portillon. Je commence à m'ennuyer. Ce n'est pas très amusant de mener l'enquête s'il faut cacher soi-même les objets.

Caramel, mon chat, joue sur le lit à côté de moi. Je regarde à la loupe les détails de ma couverture. Aucun doute : quelqu'un a mangé des biscuits au lit. Il reste des miettes. Maman ne veut pas que je mange au lit. Je brosse la couverture avec la main. Ça se voit moins sur la moquette.

On frappe à ma porte. Maman n'attend jamais que je dise : « Entrez ! » C'est très énervant.

Elle range ma chambre, aussi. Après, je ne retrouve plus rien. Ou alors, dans la poubelle. Maman ne comprend pas qu'un enquêteur se doive d'étudier les cendres de tabac à pipe et les mégots de cigarettes. Elle pense que c'est dégoûtant. Si Mme Hudson, la logeuse de Sherlock Holmes, avait fait pareil, il ne serait sûrement pas devenu le meilleur de nous tous !

— Gilou, tu as une petite seconde ? demande-t-elle. J'ai un problème à résoudre.

Je me méfie : c'est peut-être un piège pour me faire réviser mes maths.

— Quel genre de problème ?

— Le genre qui intéresse les grands détectives, répond-elle.

Chouette ! Une affaire ! Je prends le vieux chapeau en feutre de Papa, ma loupe et mon pistolet en plastique. On n'est jamais trop prudent.

— Je vous écoute, madame Serin. Racontez-moi tout.

—Vous devriez me suivre, monsieur le
détective.

Maman est très bien. Elle joue le jeu. Nous
descendons au rez-de-chaussée.

Caramel nous emboîte le pas au cas où nous
irions dans la cuisine. Il a toujours faim, ce chat.

Chapitre 3

Maman et moi, nous entrons dans le salon.

– Eh bien, voilà les faits, monsieur le détective… Comme vous pouvez le constater, il y a, sur cette petite table, un napperon brodé. Un examen attentif vous permettra de voir qu'il y a des auréoles dessus.

Je me penche avec ma loupe au-dessus du napperon.

– C'est exact, dis-je. Tout me porte à croire que cette pièce à conviction a été mouillée à plusieurs reprises.

– En effet, répond ma cliente. Ce napperon sert à protéger le bois. J'ai pour habitude de poser là un vase avec des fleurs coupées. Et ce vase a disparu.

13

— Un objet de valeur, sans doute ?

— Surtout sentimentale, dit Mme Serin. C'était un cadeau.

Je fais le tour de la table lentement puis je vais jusqu'à la fenêtre. Je jette un œil dehors.

— Hélas, madame ! je crains bien qu'un voleur n'ait profité de cette fenêtre ouverte… Vous devriez peut-être mettre une alarme.

— Un voleur ! s'exclame Mme Serin. Ici !

J'acquiesce d'un mouvement de tête. Le chapeau me tombe sur les yeux. Je l'invite d'un geste à me suivre à l'extérieur. Sur la terre des plates-bandes, je repère aussitôt les empreintes de pieds.

— C'est bien cela, dis-je. Votre voleur s'est introduit par la fenêtre. Je pense qu'il chausse du quarante-trois.

— Incroyable ! Mais, tout de même, je m'interroge… À moins que je ne me trompe, je ne vois là que les empreintes d'une chaussure gauche…

Diable ! Ma cliente a le sens de l'observation.

— Vous avez raison, chère madame… Il n'y a qu'une seule explication possible : le voleur est unijambiste.

— Pas pratique, remarque Mme Serin, quand il faut fuir devant la police ! Vous allez me trouver un brin tatillonne mais… il y a d'autres petits détails qui me chiffonnent un peu…

Les gens sont de plus en plus difficiles à satisfaire de nos jours.

Chapitre 4

Nous retournons dans la maison. Ma cliente s'arrête dans le hall. Très exactement devant la rangée des bottes en caoutchouc. Elle en prend une.

– Si je ne m'abuse, cette botte appartient à M. Serin, dit-elle. C'est un pied gauche et il est plein de boue. En revanche, le pied droit est tout à fait propre.

J'examine les deux à la loupe.

– C'est étrange, en effet… Nous avons affaire à un voleur très astucieux. Il me paraît clair maintenant qu'il a utilisé cette botte dans le but de nous faire croire qu'il était unijambiste.

— J'ai une idée un peu différente là-dessus, répond Mme Serin. L'individu en question n'a pas pensé que nous remarquerions qu'il y avait les empreintes d'un seul pied… Une petite erreur de sa part. Mais ce n'est pas tout.

Dans le salon, Caramel s'est assoupi au soleil. Il relève la tête à notre entrée, s'étire et commence sa toilette.

— Mon vase contenait des fleurs, explique Mme Serin. Regardez bien. Il reste un peu d'eau sur le parquet. Il y a aussi un petit morceau d'essuie-tout coincé sous la table…

— De plus en plus fascinant, dis-je. Le brigand a, sans doute, renversé de l'eau en commettant son méfait. Il aura voulu effacer toutes les traces de son crime.

— Ce doit être ça, répond ma cliente. Malgré tout… par simple curiosité, j'aimerais inspecter la poubelle, monsieur le détective.

Chapitre 5

Nous nous dirigeons vers la cuisine. Caramel se précipite à notre suite. Maman, enfin Mme Serin, fouille dans le placard à poubelle. Il n'y a que les ordures ordinaires. Caramel se frotte contre mes jambes en ronronnant.

– Je crois que ce chat veut quelque chose, je remarque. De la nourriture, j'imagine.

– Quelle puissance de déduction ! s'exclame Mme Serin. C'est un privilège de rencontrer un aussi grand détective !

Maman prend une boîte entamée dans le frigo. Elle en met un peu dans l'assiette de Caramel.

Le chat la regarde, l'air de dire : « Quoi ! c'est tout ? »

— Tu manges trop, lui dit Maman.

C'est un sujet sur lequel ils ne seront jamais d'accord. Mais c'est vrai que Caramel a un ventre bien arrondi.

— Je crains de devoir classer votre affaire dans les dossiers « non résolus », dis-je. C'est très embarrassant pour ma carrière. Mais quand les méchants sont les plus malins, il faut s'incliner. Même Sherlock Holmes a, parfois, perdu contre Moriarty.

— Pas si vite… répond Mme Serin.

Allons bon! On n'en a jamais fini avec cette cliente-là! Voilà qu'elle m'entraîne dehors, du côté du garage. C'est là où on laisse la grande poubelle pour le ramassage. Elle ouvre le couvercle, écarte un vieux carton.

— Ça alors! s'écrie-t-elle. Serait-ce…? Non, je ne peux y croire!

Mᵐᵉ Serin sort délicatement deux morceaux de verre coloré.

– Je suis formelle, monsieur le détective. Ce sont les débris de mon vase chéri. Je le reconnaîtrais entre tous ! Auriez-vous une explication ?

Je me gratte la tête. Il fait chaud sous mon chapeau.

– Laissez-moi me concentrer… Il me semble que vous avez un chat ?

– On ne peut rien vous cacher.

– C'est donc cela… Le voleur profite d'une absence momentanée de votre part pour s'introduire chez vous. Nous avons déjà établi avec certitude qu'il est entré par la fenêtre. Il s'empare du précieux vase mais, car il y a un mais ! il n'aperçoit pas le chat. Sur lequel il bute, malencontreusement. Il lâche le vase qui se brise. Ne voulant laisser aucun indice, il nettoie le sol et jette les morceaux à l'extérieur. Je note au passage qu'il est suffisamment intelligent pour ne pas utiliser la poubelle de la cuisine.

« Ensuite, au cas où un grand détective comme moi serait chargé de l'affaire, il essaie de nous induire en erreur en fabriquant de fausses empreintes de pas dans le jardin. Voilà, c'est ainsi que cela s'est passé. Désolé pour votre vase, madame. Mais on l'a retrouvé quand même. Cassé, hélas ! Je compatis à votre peine.

— Trop aimable, répond Mme Serin. Cependant, je ne suis pas aussi sûre que vous que l'affaire soit close.

Chapitre 6

Maman me prend par le haut de la manche de ma chemise. Je lui ferais bien remarquer que ce n'est pas une façon de traiter un grand détective. Quelque chose dans son regard m'incite à ne pas faire de réflexion…

Quand nous entrons à nouveau dans le salon, Caramel est de retour dans son fauteuil. Il a englouti sa pâtée, ce goinfre. Maman se met à quatre pattes et se penche sous le buffet. Elle a le bras long, plus que moi. Voilà qu'elle attrape un objet là-dessous.

– Tiens donc ! dit-elle. Qu'est-ce que cela, d'après vous ?

Je n'ai pas besoin de la loupe pour le savoir. C'est une balle de tennis.

— Comme c'est curieux ! continue Mme Serin. Je serais prête à jurer que c'est la balle que j'ai confisquée parce qu'une certaine petite personne jouait avec dans le salon ! Je me demande comment elle est arrivée là !

– C'est tout simple, je lui réponds. Le chat que voici a dû la dénicher quelque part et s'amuser… jusqu'à ce qu'elle roule sous le buffet. Et il ne l'a pas retrouvée… même en cherchant bien…

Caramel se lave derrière l'oreille. Il a tout à fait l'air coupable.

— Je me dois de vous contredire, dit Mme Serin. Car comme je vois les choses… mon brigand n'est pas entré par la fenêtre. Il a joué à la balle dans le salon et cassé mon vase. J'ai dans l'idée qu'il ne chausse pas du quarante-trois pas plus qu'il n'est unijambiste, qu'il fait environ un mètre trente et qu'il porte un short.

Je me racle la gorge. Je suis pris au piège.
Dommage que mon pistolet soit en plastique.

– Hum… Est-ce que je peux appeler mon
avocat ?

Maman n'a pas toujours le sens de l'humour.
Elle m'envoie dans ma chambre. Privé de télé,
privé de goûter.

Je suis bien obligé de le reconnaître : le plus grand détective du monde, c'est Maman.

ÉCOLE
Jeannine Manuel

43 - 45 Bedford Square
WC1B 3DN London

École Jeannine Manuel JK
Company number 904998

© 2000, Éditions Milan, pour la première édition
© 2009, Éditions Milan, pour la présente édition
300, rue Léon-Joulin, 31101 Toulouse Cedex 9 – France
www.editionsmilan.com
Loi 49.956 du 16.07.1949
sur les publications destinées à la jeunesse.
Dépôt légal : 4ᵉ trimestre 2014
ISBN : 978-2-7459-3635-6
Imprimé en France par Pollina - L70692D